Mi isla y yo

My Island and I

LA NATURALEZA DE PUERTO RICO
THE NATURE OF PUERTO RICO

ALFONSO SILVA LEE

Ilustrado por / Illustrated by

ALEXIS LAGO

PANGAEA

SAINT PAUL

ISBN 1-929165-06-4 Tapa dura / hardcover

Library of Congress Cataloguing-in-Publication Data

Silva Lee, Alfonso.
  Mi isla y yo : la naturaleza de Puerto Rico / My Island and I : The Nature of Puerto Rico /
Alfonso Silva Lee; ilustrado por Alexis Lago.
    p. cm.
  Parallel text in Spanish and English.
  ISBN 1-929165-06-4 (hc. : alk. paper)
    1. Natural history—Puerto Rico—Juvenile literature. [1. Natural history—Puerto Rico. 2.
Puerto Rico. 3. Spanish language materials— Bilingual.] I. Title: My Island and I. II. Lago,
Alexis, ill. III. Title.

QH109.P6 S54 2002
508.7295—dc21

                                                              00-045289

Publicado en los Estados Unidos de América por
Published in the United States of America by

P A N G A E A
www.pangaea.org

Printed in Canada

Primera edición / First Edition

2002

Agradecimientos   Acknowledgments

Gracias mil a los bosques y arrecifes boriqueños, a cada árbol, hongo, caracol,
Big thanks to the Puerto Rican forests and reefs, to each tree, fungus, snail,

coral, cangrejo y pez. También, por supuesto, a las montañas, las nubes, el mar,
coral, crab and fish. Also, of course, to the mountains, the clouds, the sea, the

los ríos y el sol. Muchos amigos ofrecieron su crítica nutritiva y apoyo.
rivers and sun. Many friends provided nourishing criticism and support.

Sonia Aponte Zeno	Juan José González	Brad Richter
Alberto Areces	Víctor L. González	María Sánchez
Carmen I. Asencio	John Guarnaccia	F. Javier Saracho
Coloma Araújo	Bonnie Hayskar	Tania Serrallés
Jacqueline Biscombe	José Roberto Martínez	Gabriela Silva
Harry Caraballo Oliveras	Néstor Murray-Irizarry	Luis Alfonso Silva
Edwin Carrasquillo	Norma Padilla	Ádrianne Tossas
Miguel García Bermúdez	Lauren Raz	

A Gabriela, Mercedes, Virginia, Juan José y Raymond,
y a los lagartijos, que animan la isla entera.

To Gabriela, Mercedes, Virginia, Juan José and Raymond,
and to the lizards, all of whom liven up the entire island.

La isla acompañada • An Island in Good Company

Puerto Rico es una isla en medio del mar. Pero no está
Puerto Rico is an island in the middle of the sea. Yet it is not

sola. La isla y el mar son muy buenos amigos; todos los
alone. The island and the sea are very good friends: every day

días se regalan agua.
they give each other water.

La isla entrega al mar agua de los ríos. En esta agua, que
The island delivers water from its rivers to the ocean. In

es dulzona, viven los manatíes, y crían los peces, los cangrejos
this water, which is rather sweet, manatees live and fish, crabs

y los camarones.
and shrimp breed.

El sol es un gran amigo de todos, y también del mar.
The sun is everybody's friend, and also the sea's. Every

Cada día el sol da calor al mar. Entonces el agua se mezcla
day the sun warms up the sea. Then, little by little, the water

la cual nos bañamos, y el agua que hace crecer las plantas.
water that makes plants grow.

El sol, las nubes y el mar son, pues, buenos amigos de
The sun, the clouds and the sea, then, are very good friends

Puerto Rico. La isla no podría vivir sin ellos.
of Puerto Rico. The island could never live without them.

El sol da abundante calor a Puerto Rico; por eso es una
The sun warms Puerto Rico a lot; that's why this is a tropical

isla tropical. Gracias al sol y al agua que traen las nubes, la isla
island. Thanks to the sun and to water brought by the clouds,

está siempre vestida de verde. También gracias al sol, el agua
the island is always dressed in green. Also thanks to the sun,

del mar y de los ríos se mantiene siempre tibia; por eso nos
the water in the ocean and in the rivers is always warm; that's

podemos bañar en ellos cualquier día del año.
why we can bathe in them any day of the year.

Puerto Rico entero es un bosque muy verde. Hay
Puerto Rico is like one huge and very green forest. There

palmas empinadas como si fueran sombrillas gigantes.
are towering palms that look like gigantic umbrellas; and also

Y también ceibas y caobas verdísimas, donde viven lagartijos
super-green silk-cotton and mahogany trees where lizards live

y anidan los zumbadores. Por eso es una isla hermosa;
and hummingbirds nest. This makes it a beautiful island, a

por eso es un puerto rico.
"rich port," as its name implies.

poco a poco con el aire y forma las nubes. Cuando las nubes
mixes with the air and clouds are formed. When the clouds get

se hacen grandes, llueve mucho. Así es como el mar regala
big, it rains a lot. That's how the sea offers water to the island.

agua a la isla. Ésta es el agua que nos tomamos, el agua con
This is the water we drink, the water we bathe with and the

Boriquén • Boriquén

Los aborígenes llegaron a Puerto Rico hace quizás unos
The aborigines arrived in Puerto Rico perhaps 4,000 years

4.000 años, en unas canoas muy largas. Venían de Montserrat,
ago, in very long canoes. They had come from Montserrat,

Dominica y otras islas cercanas. Los abuelos de sus abuelos
Dominica and other nearby islands. Their grandparents'

habían nacido en el continente suramericano.
grandparents had been born on the South American continent.

Ellos fueron los primeros en enamorarse de Puerto Rico. En
They were the first people to fall in love with Puerto Rico. On

toda la isla no había entonces una sola casa, ni carretera o puente
the whole island there still was not a single house, nor a road or

alguno. Como la isla no tenía nombre, la llamaron Boriquén.
a bridge. Since the island had no name, they called it Boriquén.

Al llegar a Boriquén, los aborígenes debieron ponerse muy
The aborigines must have been very happy to arrive at

contentos. Construyeron bohíos y canoas, sembraron las plantas
Boriquén. They built palm huts and canoes, grew plants they

que les servían de alimento y tejieron redes para pescar.
needed for food and wove their own fishing nets.

Con el tiempo, se encariñaron con las montañas y los ríos, y
With time, they came to love the mountains and rivers, and fresh

con la brisa fresca. La isla pasó a ser su casa grande, y ellos cambiaron
breeze. The island turned into their big home, and they changed more

más y más, hasta hacerse parte de la isla. Se transformaron en taínos.
and more, until they became part of the island. They became Tainos.

Una isla muy muy vieja ● A Very, Very Old Island

La isla, sin embargo, existía desde antes de la llegada de los
The island, though, existed for quite a long time before the

aborígenes. La edad de Puerto Rico es, por lo menos, 35 millones
aborigines. The age of Puerto Rico is at least 35 million years.

de años. (Esa es una enorme cantidad de tiempo: una fila de 35
(That is a large quantity of time—a line of 35 million ants

millones de hormigas tendría !160 kilómetros/100 millas de longitud!)
would be about 100 miles/160 kilometers long!)

Al igual que otras islas, Boriquén nació del fondo del mar.
Just like many other islands, Boriquén was born from under

Al principio fue muy pequeña, y sobre ella no crecía un solo
the sea. At the beginning it was very small, and on it not a

cedro, ni correteaba un solo lagartijo, ni cantaba un solo coquí.
single cedar grew, not a lizard dashed or coquí called.

Pero en los continentes cercanos a Puerto Rico había bosques
But on the continents near Puerto Rico there were gigantic

gigantescos repletos de insectos, lagartijos, ranitas, culebras y
forests, crowded with insects, lizards, froglets, snakes and birds.

pájaros. Fueron estos bosques los que dieron a Puerto Rico los
It was these forests that gave Puerto Rico the great-grandparents

tatarabuelos de los tatarabuelos de las plantas y los animales de hoy.
of the great-grandparents of today's plants and animals.

En aquellos tiempos no había correo, barcos, aviones ni
In that distant time there were no post offices, ships, airplanes

personas, y cada animal y planta hizo el viaje hasta Puerto
nor people, so each animal and plant made the trip to Puerto

Rico por sí mismo.
Rico on its own.

Plantas viajeras • Traveling Plants

Un yagrumo y un helecho pasan sus vidas donde mismo
A trumpet tree and a fern spend their entire lives in the

nacieron. Árboles y bejucos no parecen ser viajeros en
same place they were born. Trees and vines certainly do not

absoluto . . . ¡pero sí lo son! A su manera, las plantas son
seem to be travelers at all . . . but they are! In their own way,

muy inteligentes. Aunque incapaces de dar un solo paso,
plants are very intelligent. Although incapable of taking

se las arreglan para correr, nadar e incluso volar.
a single step, they manage to run, swim and even fly.

Su truco para viajar está en la semilla. Las semillas de
Their trick is in the seed. The seeds of some plants,

algunas plantas, por ejemplo, flotan. Los arroyos las cargan
for example, float. The creeks carry them to the rivers,

hasta los ríos, y los ríos hasta el mar.
and the rivers to the sea.

Ya en el mar, las corrientes empujan las semillas hasta que, días
Once at sea, the currents push the seeds until, days later,

después, alcanzan una playa. (Cuando vayas a la playa, revisa
they are thrown onto a beach. (Whenever you go to the beach,

la orilla: puede ser que allí encuentres algunas semillas que
check the shore. You may find some seeds that have floated all

hayan llegado flotando quizás desde Venezuela o desde Brasil.)
the way from Venezuela or from Brazil.)

Otras plantas dan semillas pequeñas recubiertas de pelillos;
Other plants give very small seeds that are covered with

y otras, semillas con alas. El viento fuerte traslada estas
thin hairs or that have wings. Strong winds carry these seeds

semillas muy lejos, incluso de una isla a otra.
very far, even from one island to another.

Hay plantas que, para viajar, utilizan a las aves. Algunas
In order to travel, there are plants that make use of

tienen semillas muy pequeñas, que se pegan al fango que las
birds. Some have very small seeds which, along with mud,

aves cargan en las patas. Las semillas de otras plantas están
stick to the birds' feet. Other seeds are covered with a sticky

recubiertas de una sustancia pegajosa, o de ganchitos.
substance or with little hooks. In this way they attach

Así se pegan a las plumas y viajan grandes distancias.
themselves to the feathers and travel long distances.

Por último, hay plantas —como la guayaba— cuyas semillas
And finally, there are plants—like guava—with seeds

vienen envueltas en pulpa. Estos frutos son consumidos por
wrapped in flesh. These are eaten by some birds,

las aves, que luego cargan las semillas en sus tripas mientras
which then carry the seeds in their bellies as they

vuelan sobre el mar.
fly over water.

Animales viajeros ● Traveling Animals

Los tatarabuelos de los tatarabuelos de las abejas, las
The great-grandparents of the great-grandparents of the

mariposas y las aves boriqueñas pudieron volar hasta Puerto
Puerto Rican bees, butterflies and birds simply flew to the

Rico. Pero los coquíes no tienen alas . . . ni resisten demasiado
island. But the coquíes don't have wings . . . nor can they

tiempo en agua salada. ¿Cómo crees que hayan podido
sit for long in saltwater. How do you think that the

llegar hasta Puerto Rico los tatarabuelos de los tatarabuelos
great-grandparents of the great-grandparents of the coquíes

de los coquíes de hoy?
could have traveled to Boriquén?

Pues resulta que las ranitas navegaron como grandes
Well, the little frogs made the trip like big-time sailors.

marineras. Cuando un huracán pasaba por los bosques de
Whenever a hurricane swept the forests of South America,

América del Sur, los ríos crecían y muchos animales caían
the rivers overflowed and many animals fell into the torrent.

al torrente. Para salvar sus vidas, ranas, lagartijos y
In order to save their lives, frogs, lizards and millipedes

ciempiés se agarraban a las ramas, que eran arrastradas por
climbed onto the branches carried by the water. The branches

el agua. Las ramas luego flotaban hasta el mar, y allí las
later floated out to sea and the ocean currents pushed them

corrientes las empujaban hasta Puerto Rico.
towards Puerto Rico.

Así pues, las algarrobas, los sebucanes, las mariposas,
Therefore, the locust trees, cacti, butterflies, frogs,

los coquíes, los lagartijos y las aves que hoy viven en Puerto
lizards and birds that today live in Puerto Rico are the

Rico, son tataranietos de los tataranietos de plantas y animales
great-grandchildren of the great-grandchildren of plants and

que vivieron en los bosques de tierras cercanas.
animals that lived in the forests of nearby lands.

Los bosques de Cuba, Guadalupe y las demás islas antillanas
The forests of Cuba, Guadeloupe and the rest of the

se formaron de la misma manera. Estos bosques también son
Antillean islands originated in the same manner. These forests

hijos de los grandes bosques continentales. Y son, por lo tanto,
are also the offspring of the great continental forests. They are,

bosques hermanos del de Puerto Rico.
for that reason, siblings of the Puerto Rican ones.

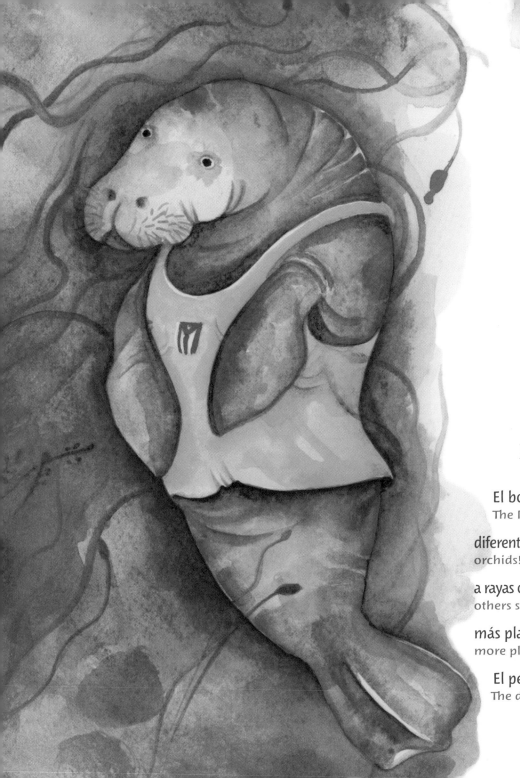

Boriqueños de verdad ● Really Puerto Rican

El bosque boriqueño es rico. ¡Cuántas palmas y orquídeas
The Puerto Rican forest is rich. How many different palms and

diferentes! Hay mariposas amarillas, blancas, anaranjadas, y también
orchids! There are yellow, white and orange butterflies, and also

a rayas o con manchas como de leopardo. En el bosque hay muchas
others striped, or spotted like a leopard. In the forest there are many

más plantas y animales que en cualquier parque de la ciudad.
more plants and animals than in any city park.

El perro y el gato, al igual que el caballo, la oveja y el gallo,
The dog and the cat, just like the horse, the sheep and the rooster,

no son animales puertorriqueños. El flamboyán y la rosa
are not Puerto Rican animals. The flamboyant tree and the rose

también fueron traídos de otras tierras por los humanos.
were also brought in by humans from distant lands.

El guaraguao de bosque, el manatí y la ceiba sí son
The broad-winged hawk, manatee and ceiba tree are, indeed,

boricuas. El guaraguao y las semillas de la ceiba son excelentes
Puerto Rican. The broad-winged hawk and seeds of the ceiba

voladores, y el manatí es un gran nadador. Ellos, al igual que
are excellent flyers, and the manatee is a good swimmer. Like

otras plantas y animales, viajan a menudo a través del mar.
many other plants and animals, they frequently travel across

Por eso viven también en México, Colombia, Jamaica,
the sea and can be found in Mexico, Colombia, Jamaica,

San Vicente y Guyana.
St. Vincent and Guyana.

El sampedrito, el culebrón y la manaca, sin embargo,
The Puerto Rican tody, the Puerto Rican boa and the Puerto Rico

solo viven en Puerto Rico. Los tatarabuelos de sus tatarabuelos
manac palm live only on this island. The great-grandparents of their

llegaron a esta isla hace varios millones de años.
great-grandparents arrived in Puerto Rico many million years ago.

Como no fueron capaces de volar ni nadar lejos, poco
Since they were incapable of flying or swimming long distances,

a poco se acostumbraron más y más al ambiente de
little by little they adapted more and more to the island's

la isla; se hicieron boriqueños de verdad. Hoy
environment: they became really Puerto Rican. Today

no viven en ningún otro lugar del mundo.
they do not live any other place in the world.

Los lagartijos que ves por el día y los coquíes que
The lizards you see in the day and the coquíes you

escuchas por la noche también son distintos de
hear at night are also different from those that live

los que habitan las demás tierras de América;
in the rest of the American lands: they are

son más puertorriqueños que tú y que yo.
more Puerto Rican than you and I.

La magia del bosque • The Forest's Magic

El bosque se cuida solo. Allí nunca hay que enviar
The forest takes care of itself. We never have to send trucks

camiones cargados de alimento, ni camiones para sacar
into the forest to bring in food or take out garbage. Actually,

la basura. Realmente, el bosque es tan maravilloso que no
the forest is so wonderful that it does not produce garbage

produce basura en absoluto. Todo se aprovecha; todo se
at all. Everything is used; everything is recycled. The trees

recicla. Los árboles y las demás plantas son quienes hacen
and other plants make the forest. Their magic is in

al bosque. Su magia está en las raíces y las hojas.
their roots and leaves.

Las raíces toman del suelo agua y minerales. Para hacerlo
The roots take water and minerals from the soil. In order to

mejor, aprovechan la ayuda de ciertos hongos. Si el hongo
do a better job, they are assisted by certain fungi. If the fungi or the

o la planta están solos, crecen poco. Pero cuando viven juntos
plants are on their own, they grow little. But when they live together

se ayudan uno a otro, y ambos crecen fuertes y saludables.
they help each other, and both grow strong and healthy.

Las hojas son trampas de sol maravillosas. Cada hoja contiene
Leaves are marvelous sun traps. Each leaf has millions of

millones de partículas microscópicas que atrapan la luz. Estas
small particles that catch sunlight. These particles are the ones

partículas son las que dan a las plantas el color verde.
that give plants their green color.

Para hacer su magia, la hoja usa un gas que siempre
In order to do their magic, the leaf uses a gas that is

abunda en el aire. Tiene un nombre largo y difícil de recordar:
very abundant in the air. It has a long and hard-to-remember

dióxido de carbono. Por suerte, también se le llama CO_2
name: carbon dioxide. Luckily, it is also known as CO_2

(que se pronuncia fácil: ceodós).
(and easily pronounced "see-o-two").

Con el CO_2, más el agua, los minerales y la luz solar, las hojas
Using CO_2, water, minerals and sunlight, the leaves make

fabrican alimento para la planta entera. En el proceso de fabricarse
the food for the entire plant. In the process of building its own

su propio alimento, las plantas expulsan otro gas, llamado oxígeno.
food, the plant releases another gas, called oxygen.

Gracias al oxígeno regalado por las plantas, los animales
It is thanks to the plant's gift of oxygen that the muscles

echan a funcionar todos sus músculos y el cerebro. Al caminar,
and brain of animals can function. While we walk, run and

correr y pensar, convertimos el oxígeno en CO_2 y lo
think, we convert the oxygen into CO_2 and release it

expulsamos por los pulmones.
from our lungs.

Entre las plantas y los animales hay también una amistad
Between the plants and the animals, there is also a very

grande. ¡Cada uno regala al otro el gas que más necesita!
great friendship. Each gives the other the gas it needs most!

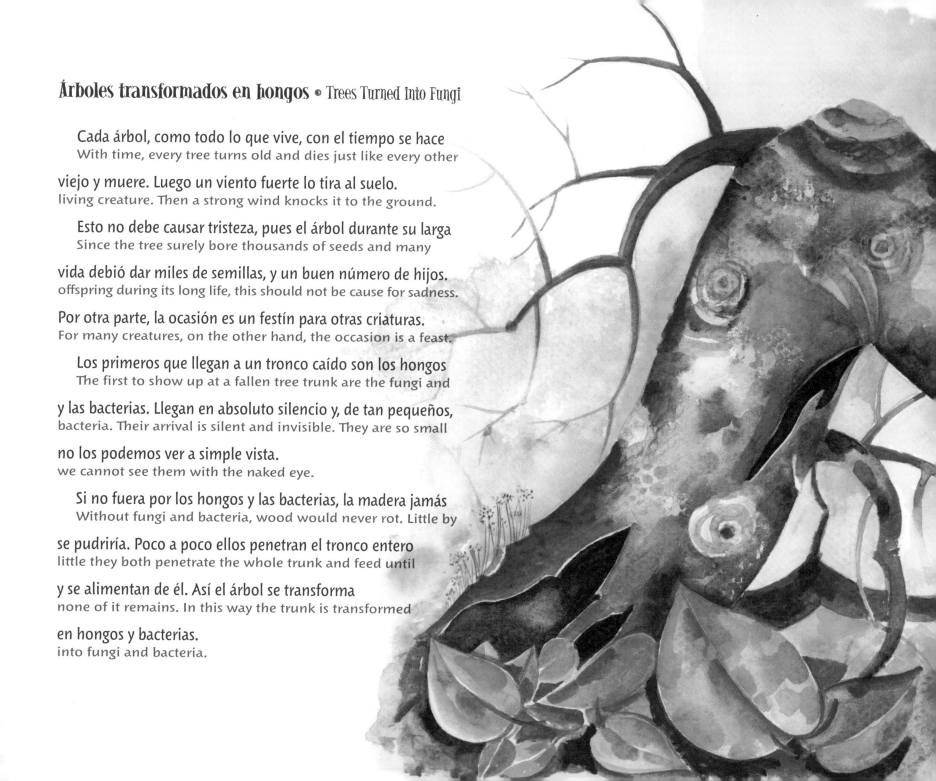

Árboles transformados en hongos • Trees Turned into Fungi

Cada árbol, como todo lo que vive, con el tiempo se hace
With time, every tree turns old and dies just like every other

viejo y muere. Luego un viento fuerte lo tira al suelo.
living creature. Then a strong wind knocks it to the ground.

Esto no debe causar tristeza, pues el árbol durante su larga
Since the tree surely bore thousands of seeds and many

vida debió dar miles de semillas, y un buen número de hijos.
offspring during its long life, this should not be cause for sadness.

Por otra parte, la ocasión es un festín para otras criaturas.
For many creatures, on the other hand, the occasion is a feast.

Los primeros que llegan a un tronco caído son los hongos
The first to show up at a fallen tree trunk are the fungi and

y las bacterias. Llegan en absoluto silencio y, de tan pequeños,
bacteria. Their arrival is silent and invisible. They are so small

no los podemos ver a simple vista.
we cannot see them with the naked eye.

Si no fuera por los hongos y las bacterias, la madera jamás
Without fungi and bacteria, wood would never rot. Little by

se pudriría. Poco a poco ellos penetran el tronco entero
little they both penetrate the whole trunk and feed until

y se alimentan de él. Así el árbol se transforma
none of it remains. In this way the trunk is transformed

en hongos y bacterias.
into fungi and bacteria.

Para cortar la madera, los comejenes se valen de unas
In order to cut wood, termites have very sharp and powerful

mandíbulas poderosas y muy afiladas. Para poder digerirla,
"mandibles"—their jaws. And to be able to digest wood, they

tienen en sus tripas bacterias amigas. Tú y yo también tenemos
have friendly bacteria in their stomachs. You and I also have

en las tripas bacterias amigas —diferentes de las de los
friendly bacteria in our intestines—different from those of

comejenes—, que nos ayudan a digerir las carnes y los vegetales.
termites—that help us digest meat and vegetables.

Árboles transformados en comején Trees Turned into Termites

Otros árboles caídos son invadidos por comejenes.
Other fallen trees are assaulted by termites. Termites

Los comejenes parecen hormigas, pero su cuerpo es blando
look a lot like ants, but have a soft body and are whitish.

y de color blancuzco. Por vivir en completa oscuridad, los
Because termites live in complete darkness, they are blind.

comejenes son ciegos. Para caminar por los túneles oscuros
They find their way through the dark tunnels by means

del interior de la madera se guían por el olfato y el tacto.
of smell and touch.

La madera no solo es dura de cortar, sino también difícil de
Wood is not only hard to cut, but also hard to digest.

digerir. Por eso no podríamos comer empanadillas de aserrín.
That's why we don't eat hamburgers made out of sawdust.

¿De quiénes estoy hecho yo? ● What am I made of?

Los seres humanos nos alimentamos de muchos
We humans feed on many different organisms. We

organismos diferentes. Comemos hongos, raíces, hojas, flores,
eat fungi, roots, leaves, flowers, fruits, seeds and

frutas, semillas, y hasta plantas enteras.
even whole plants.

También comemos jueyes y carruchos, peces, aves, cerdos y
We also feed on land crabs and conchs, fish, birds, pigs

toros. En otros países nuestra dieta incluye, además, ¡insectos,
and bulls. In other countries our diet includes insects,

ranas, iguanas, serpientes, tortugas, cocodrilos, murciélagos
frogs, iguanas, snakes, turtles, crocodiles, bats and even

y hasta ballenas! Al comer estos organismos, los
whales! Eating these organisms, we transform them

transformamos en nosotros mismos.
into our own selves.

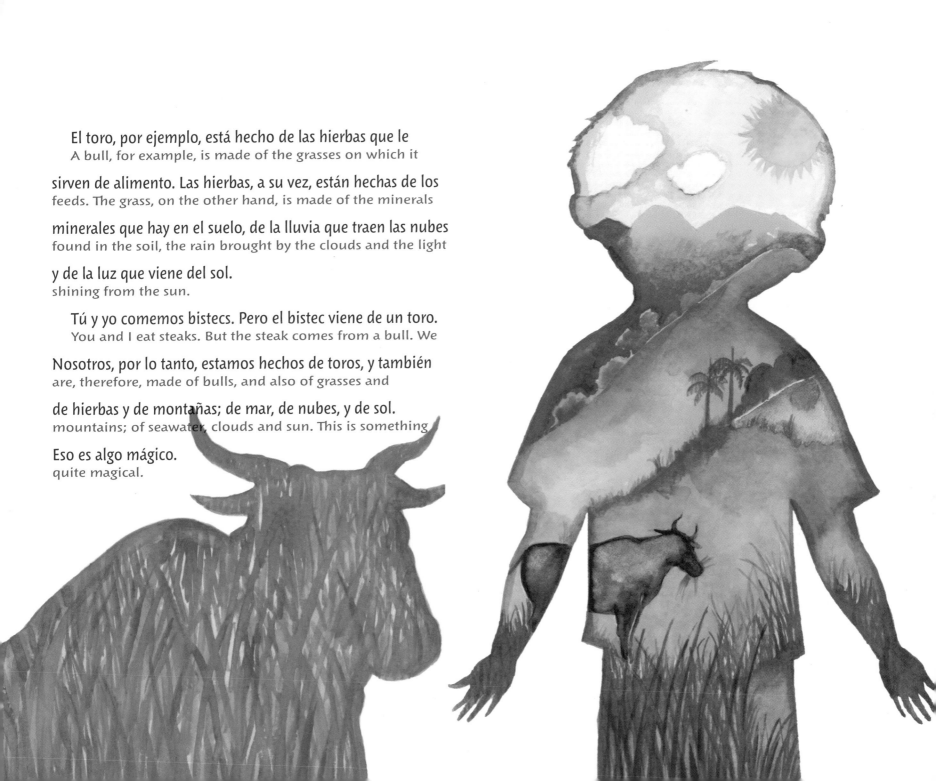

El toro, por ejemplo, está hecho de las hierbas que le
A bull, for example, is made of the grasses on which it

sirven de alimento. Las hierbas, a su vez, están hechas de los
feeds. The grass, on the other hand, is made of the minerals

minerales que hay en el suelo, de la lluvia que traen las nubes
found in the soil, the rain brought by the clouds and the light

y de la luz que viene del sol.
shining from the sun.

Tú y yo comemos bistecs. Pero el bistec viene de un toro.
You and I eat steaks. But the steak comes from a bull. We

Nosotros, por lo tanto, estamos hechos de toros, y también
are, therefore, made of bulls, and also of grasses and

de hierbas y de montañas; de mar, de nubes, y de sol.
mountains; of seawater, clouds and sun. This is something

Eso es algo mágico.
quite magical.

De la tierra al guaraguao • From Soil to Red-tailed Hawk

Hay caracoles, gongolíes, hormigas, escarabajo
There are snails, millipedes, ants, beetles and

y otros insectos que se alimentan de hongos.
other insects that feed on fungi. By feeding

Al comer hongos, estos animales transforman a
on fungi, these animals transform the fungi

los hongos en sí mismos.
into themselves.

Pero los hongos, como ya vimos, están hechos de
But the fungi, as we have already seen, are made

árboles caídos. Los caracoles, gongolíes e
of fallen tree trunks. Snails, millipedes and

insectos, por tanto, están hechos no solo
insects are thus made not only of

de hongos, sino también de árboles.
fungi, but also of trees.

La confusión es deliciosa, pues los animales
The jumble is delicious, since the larger

mayores, al comerse a los pequeños, los transforman
animals, by eating the smaller ones, transform them

en sí mismos; el comején pasa a ser coquí,
into themselves: the termite becomes coquí,

que pasa a ser lagarto verde, que
which turns into green anole, which

pasa a ser guaraguao . . .
transforms into red-tailed hawk . . .

Al morir, todas las criaturas son descompuestas por las
When each creature dies, it is decomposed by bacteria

bacterias y los hongos. De esa manera lo muerto se transforma,
and fungi. This way the dead are again transformed

de nuevo, en vida. Así pues,
into living organisms. Therefore,

◉ la tierra, las nubes, el aire y el sol se transforman en árboles,
the soil, clouds, air and sun are transformed into trees;

◉ los árboles se transforman en hongos y bacterias,
the trees are transformed into bacteria and fungi;

◉ los hongos y las bacterias se transforman en hormigas y caracoles,
the fungi and bacteria are transformed into ants and snails;

◉ las hormigas y los caracoles se transforman en lagartijos y coquíes,
the ants and snails are transformed into lizards and coquíes;

◉ los lagartijos y los coquíes se transforman en culebras y guaraguaos,
the lizards and coquíes are transformed into snakes and hawks,

◉ y las culebras y los guaraguaos se transforman en bacterias, hongos
and the snakes and hawks are transformed into bacteria,

y tierra; es decir, ¡en alimento para árboles, hormigas, caracoles!
fungi and soil—that is, into food for trees, ants and snails!

Algas y corales • Algae and Corals

El mar es muy distinto del bosque. En el fondo del mar
At sea everything is quite different from what is found in the

no hay tierra, sino arena, fango o piedra; y a los lugares
forest. At the bottom of the ocean there is no soil—just sand,

profundos jamás llega la luz del sol. Por último, el agua,
silt or rock—and the sunlight never reaches the deeper parts.

que lo inunda todo, es muy salada.
The water, which surrounds everything, is very salty.

Pero en el mar, al igual que en el bosque, viven una gran
But in the sea, as well as in the forest, many different animals

cantidad de animales, y también de algas. Hay abundantes peces,
live, and also algae. There are abundant fish, crabs and snails,

cangrejos y caracoles, y también tortugas y delfines. La mayoría
and also turtles and dolphins. Most algae are microscopic. Even

de las algas son tan pequeñitas, que no se pueden ver a simple
though they cannot be seen with the human eye, there are

vista. Pero en cada vaso de agua de mar hay miles y miles de ellas.
thousands and thousands of them in a cup of seawater.

Entre los organismos marinos hay una amistad aún mayor
Friendship among marine organisms is even greater than

que entre los terrestres. Y también en el mar
among the land ones. And underwater some

unas criaturas se transforman en otras, las que
creatures are also transformed into others, that

a su vez se transforman en otras, y en otras...
later are transformed into still others, that . . .

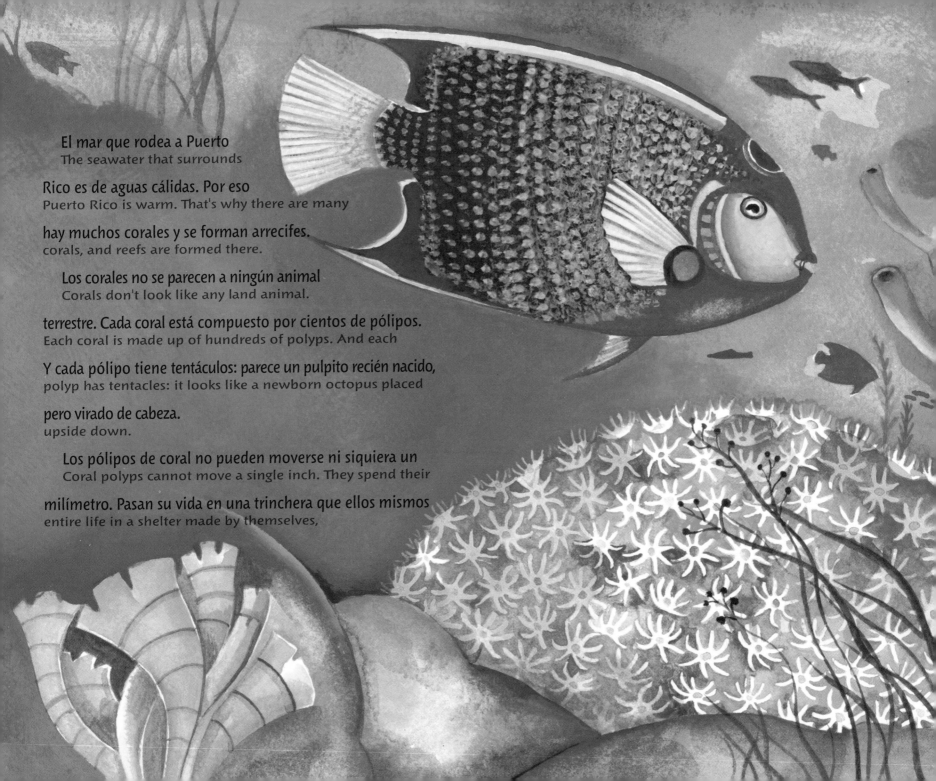

El mar que rodea a Puerto
The seawater that surrounds

Rico es de aguas cálidas. Por eso
Puerto Rico is warm. That's why there are many

hay muchos corales y se forman arrecifes.
corals, and reefs are formed there.

Los corales no se parecen a ningún animal
Corals don't look like any land animal.

terrestre. Cada coral está compuesto por cientos de pólipos.
Each coral is made up of hundreds of polyps. And each

Y cada pólipo tiene tentáculos: parece un pulpito recién nacido,
polyp has tentacles: it looks like a newborn octopus placed

pero virado de cabeza.
upside down.

Los pólipos de coral no pueden moverse ni siquiera un
Coral polyps cannot move a single inch. They spend their

milímetro. Pasan su vida en una trinchera que ellos mismos
entire life in a shelter made by themselves,

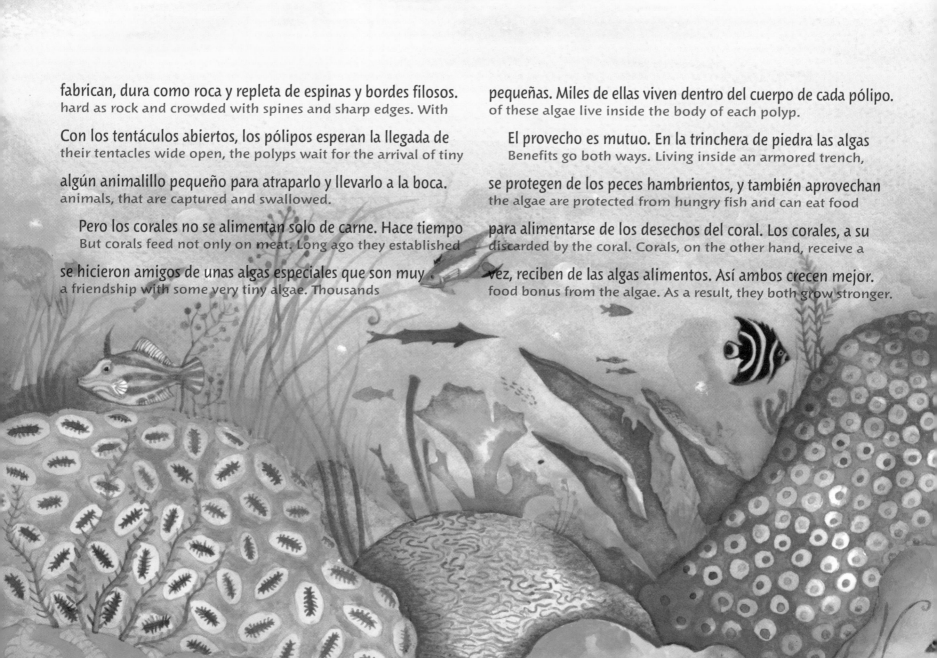

fabrican, dura como roca y repleta de espinas y bordes filosos.
hard as rock and crowded with spines and sharp edges. With

Con los tentáculos abiertos, los pólipos esperan la llegada de
their tentacles wide open, the polyps wait for the arrival of tiny

algún animalillo pequeño para atraparlo y llevarlo a la boca.
animals, that are captured and swallowed.

Pero los corales no se alimentan solo de carne. Hace tiempo
But corals feed not only on meat. Long ago they established

se hicieron amigos de unas algas especiales que son muy
a friendship with some very tiny algae. Thousands

pequeñas. Miles de ellas viven dentro del cuerpo de cada pólipo.
of these algae live inside the body of each polyp.

El provecho es mutuo. En la trinchera de piedra las algas
Benefits go both ways. Living inside an armored trench,

se protegen de los peces hambrientos, y también aprovechan
the algae are protected from hungry fish and can eat food

para alimentarse de los desechos del coral. Los corales, a su
discarded by the coral. Corals, on the other hand, receive a

vez, reciben de las algas alimentos. Así ambos crecen mejor.
food bonus from the algae. As a result, they both grow stronger.

Amigos en el mar • Underwater Friendship

En los arrecifes de coral de Puerto Rico viven unos
Tiny striped fishes the size of a match live in the

pececillos rayados, del largo de un fósforo, que son amigos
coral reefs of Boriquén that are friends of all other

de todos los demás peces. Incluso del muy boquigrande mero
fishes—friends even of the large-mouthed groupers and

y de la muy dentuda picúa.
sharp-toothed barracuda.

Se les llama gobios limpiadores, pues quitan los parásitos
They are called cleaning gobies, because they clean parasites

que se agarran a la piel de otros peces. Ése es su alimento diario.
off the fish's skin and eat them. Parasites are their daily food.

Cuando los peces coralinos sienten picazón en la piel, nadan
When a fish living in a coral reef feels an itching on its skin,

hasta donde están los gobios limpiadores. Entonces el gobio
it swims to where the cleaning gobies are. Then a goby "lands"

limpiador se le acerca, e inspecciona cada pedacito de piel.
on the itchy fish and inspects every patch of skin.

En busca de alimento, el gobio limpiador incluso se mete
In search of food, the cleaning goby even goes into the fish's

dentro de la boca del pez, y en cuanto localiza al parásito, se lo come.
mouth, and eats up every parasite found there.

Gracias a esta amistad, el gobio limpiador consigue su
Thanks to this friendship, the cleaning goby finds its

alimento preferido. Y el pez grande, mientras,
favorite food, while the larger fish is

es curado de su picazón.
cured of its itching.

¿Qué piensa un lagartijo? • What Does a Lizard Think?

El lagartijo jardinero se diferencia de nosotros por ser
The olive grass anole differs from us by being much

pequeño, lucir una cola larguísima y no poseer ni un solo pelo.
smaller, having a very long tail and lacking any hair. But, on the

Por otra parte, tenemos mucho en común.
other hand, we both have much in common.

Los huesos de su esqueleto, por ejemplo, son muy parecidos
The bones of its skeleton, for example, are very similar

a los del nuestro. También en su cuerpo hay pulmones para
to ours. It too has lungs for breathing, a heart,

respirar, corazón, riñones e hígado. En su cabeza hay un
kidneys and a liver. In its head it has a pair of eyes

par de ojos similares a los nuestros, y a cada lado de la
similar to ours, and on each side of its head it has ears.

cabeza también tiene oídos. Lo más importante: tiene
And, most importantly, inside its head it has a brain;

adentro del cráneo un cerebro; algo pequeño, pero completito.
quite small, but complete.

Si observas a un lagartijo jardinero durante un rato, verás cómo se
If you watch an olive grass anole for a while, you will be

interesa por alguna mariposilla; dará una carrera y la atrapará. Sin
able to see it get interested in some little moth, dart off and

duda estaba atento al paso de insectos voladores y, además, posee
capture it. The lizard, no doubt, was on the alert for flying

una vista excelente. Al parecer encuentra las mariposillas tan
insects, and has excellent eyesight. It also seems to find the

sabrosas como puede ser para nosotros un helado de chocolate.
moths as tasty as we do chocolate ice cream.

Si nos acercamos, correrá y se esconderá: nos considera,
If we get closer, the lizard will run and hide; it considers us,

con razón, gigantes de cuidado. Al rato le veremos ponerse
not unreasonably, to be scary giants. A while later, we will see

a la sombra: un poco de calor está bien . . . ¡pero no demasiado!
it reach for a shady spot: a little heat is fine . . . but not too much!

Al igual que nosotros, el lagartijo jardinero duerme por la
Just like us, the olive grass anole sleeps at night. It doesn't

noche. No tiene casa ni cama, pero al oscurecer busca una hoja
have a house nor a bed, but as darkness arrives it searches for

de su agrado, se acuesta sobre ella y cierra los ojos
a leaf of its choosing, lies over it, and closes its eyes until the

hasta el día siguiente.
next morning.

¡Quién sabe si al acostarse, quizás ya algo cansado tras
Who knows if, while making itself comfortable on the leaf—a

el ajetreo de todo un día, disfrutó la belleza del rojizo sol
bit tired, perhaps, from a busy day—it enjoys the reddish beauty

poniente! Para saber eso habría que ser lagartijo.
of the setting sun! To know that, we would have to be a lizard.

El encanto de estar vivo ● The Charm of Being Alive

Es maravilloso sentir todo lo que tenemos
It is marvelous to sense everything around us.

alrededor. ¡Qué hermosos son el azul limpio
How beautiful are the clean blue sky, the

del cielo, las nubes-navegantes y la lluvia como
sailing clouds and the pure-silver-like rain!

de pura plata! ¡Y qué alegría da sentirse envuelto
And what joy it is to feel surrounded by the water

por el agua de un río, o de la orilla del mar!
of a river, or of the seashore!

También agradan las flores y sus mil fragancias,
Flowers, with all their thousand fragrances, are

el calor del sol, el paisaje de montañas muy verdes,
also pleasing, and so is the sun's warmth, a landscape of

el contacto con algún animal amigo, y la caricia
very green mountains, contact with any animal friend,

de mamá y papá.
and the touch of mom and dad.

Todo transcurre alrededor tuyo: tú eres, sin duda
All this takes place around you. No doubt about it, you

alguna, centro del universo. Pero . . . espera un momento . . .
are the center of the universe. But . . . wait a second . . . I am

también yo soy centro del universo. Y también lo son tu
also the center of the universe. And so are your mother and

mamá y tu papá, cada uno de tus amigos, cada persona . . .
father, and each of your friends, each person . . .

Cada lagartijo también es centro de su propio mundo,
Each lizard is also the center of its own world, and so is

como lo es cada pólipo de coral, cada saltamontes y cada bejuco.
each coral polyp, each grasshopper and each vine. All of them

Todos ellos también están hechos de montaña, y de sol.
are also made of mountains and sunshine.

Es fantástico que cada uno sea centro de todo, y que cada uno
It is a great delight that each is the center of everything, and

esté hecho de los demás. Ni tú ni yo podemos vivir sin los demás,
that each is made of all others. Neither you, nor I, can live

pues estamos hechos de ellos; y ellos están hechos de nosotros.
without the others. We are made of them, and they are made of us.

Puerto Rico es montañas, ríos, playas y lagunas, y también
Puerto Rico is mountains, rivers, beaches and lagoons, and

bosques y manglares. La isla es, además, orquídeas y
also forests and mangroves. The island is, as well, orchids and

sebucanes, arañas y coquíes, sampedritos y murciélagos.
night-blooming cacti, spiders and coquíes, todies and bats.

Tú y yo también pertenecemos a esta gran familia.
You and I also belong to this very big family.